# Tome 1 :
## "BWAAAAAAAAAAH !"

Scénario: Thitaume
Dessin: Romain Pujol
Couleurs: Gorobei

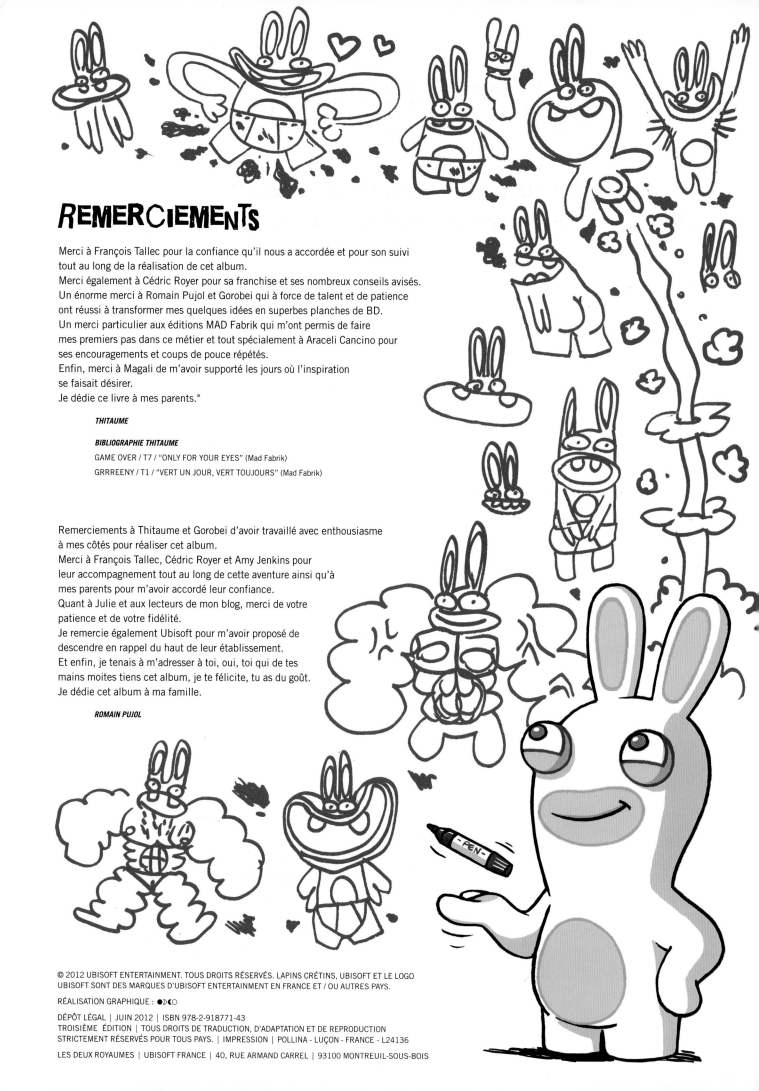

# REMERCiEMENTS

Merci à François Tallec pour la confiance qu'il nous a accordée et pour son suivi tout au long de la réalisation de cet album.
Merci également à Cédric Royer pour sa franchise et ses nombreux conseils avisés.
Un énorme merci à Romain Pujol et Gorobei qui à force de talent et de patience ont réussi à transformer mes quelques idées en superbes planches de BD.
Un merci particulier aux éditions MAD Fabrik qui m'ont permis de faire mes premiers pas dans ce métier et tout spécialement à Araceli Cancino pour ses encouragements et coups de pouce répétés.
Enfin, merci à Magali de m'avoir supporté les jours où l'inspiration se faisait désirer.
Je dédie ce livre à mes parents."

*THITAUME*

*BIBLIOGRAPHIE THITAUME*
GAME OVER / T7 / "ONLY FOR YOUR EYES" (Mad Fabrik)
GRRREENY / T1 / "VERT UN JOUR, VERT TOUJOURS" (Mad Fabrik)

Remerciements à Thitaume et Gorobei d'avoir travaillé avec enthousiasme à mes côtés pour réaliser cet album.
Merci à François Tallec, Cédric Royer et Amy Jenkins pour leur accompagnement tout au long de cette aventure ainsi qu'à mes parents pour m'avoir accordé leur confiance.
Quant à Julie et aux lecteurs de mon blog, merci de votre patience et de votre fidélité.
Je remercie également Ubisoft pour m'avoir proposé de descendre en rappel du haut de leur établissement.
Et enfin, je tenais à m'adresser à toi, oui, toi qui de tes mains moites tiens cet album, je te félicite, tu as du goût.
Je dédie cet album à ma famille.

*ROMAIN PUJOL*

RÉALISATION GRAPHIQUE : ●D◖O

DÉPÔT LÉGAL | JUIN 2012 | ISBN 978-2-918771-43
TROISIÈME ÉDITION | TOUS DROITS DE TRADUCTION, D'ADAPTATION ET DE REPRODUCTION STRICTEMENT RÉSERVÉS POUR TOUS PAYS. | IMPRESSION | POLLINA - LUÇON - FRANCE - L24136

LES DEUX ROYAUMES | UBISOFT FRANCE | 40, RUE ARMAND CARREL | 93100 MONTREUIL-SOUS-BOIS

# ATTENTION !

Vous n'êtes pas au début de l'album.
Pour vous y rendre, veuillez suivre les indications de la page **48**.

THITAUME -PUJOL-

THITAUME -PUJOL-

THITAUME -PUJOL-

THITAUME -PUJOL-

THITAUME -PUJOL-

THITAUME -PUJOL-

Ceci n'est pas un lapin.

Thitaume -Pujol-

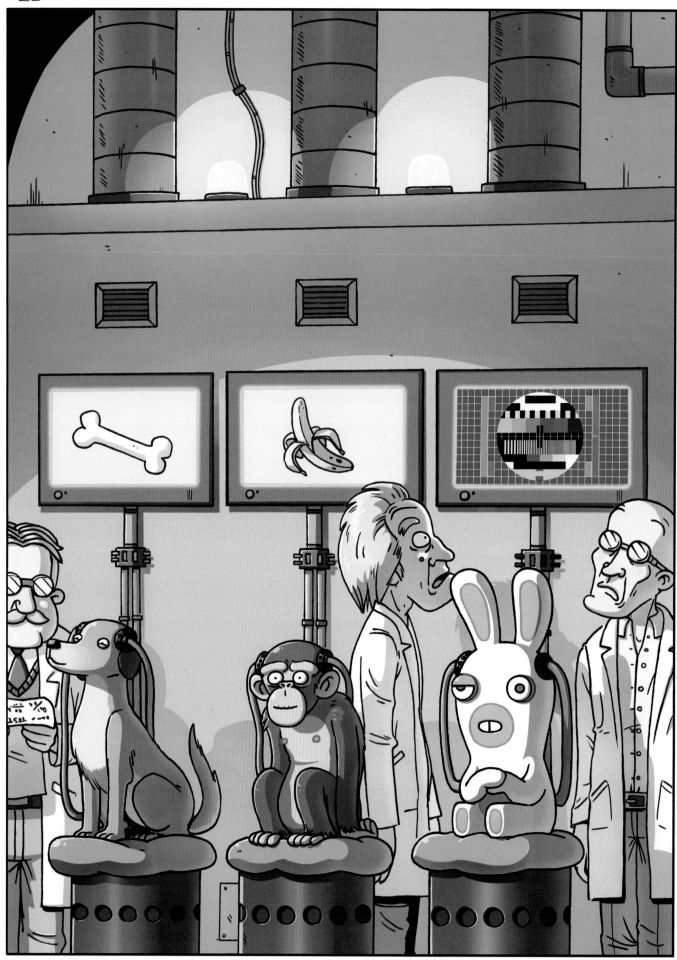

AFIN DE RESPECTER L'INTÉGRITÉ PHYSIQUE DE CE LAPIN CRÉTIN...

...IL EST STRICTEMENT INTERDIT DE RETOURNER CETTE BANDE-DESSINÉE.

MERCI DE VOTRE COMPRÉHENSION.

ZBUNK!

Thitaume -Pujol-

21

THITAUME -PUJOL-

THITAUME -PUJOL-

THITAUME -PUJOL-

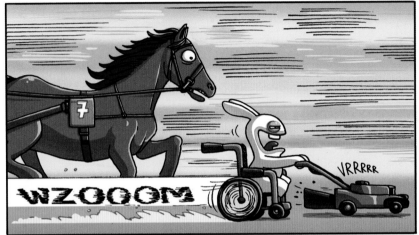

WZOOOM

VRRRRr

FINISH

VRRR

VRRRRR

BWAAAH !

COUIN COUIN

VRRRRR

CRACK

THITAUME -PUJOL-

# enlèvent le haut.

THITAUME -PUJOL-

THITAUME -PUJOL-

THITAUME -PUJOL-

THITAUME -PUJOL-

BWAAAH!

THITAUME -PUJOL-

Thitaume -PUJOL-

PAGE 34
PAGE 35

33

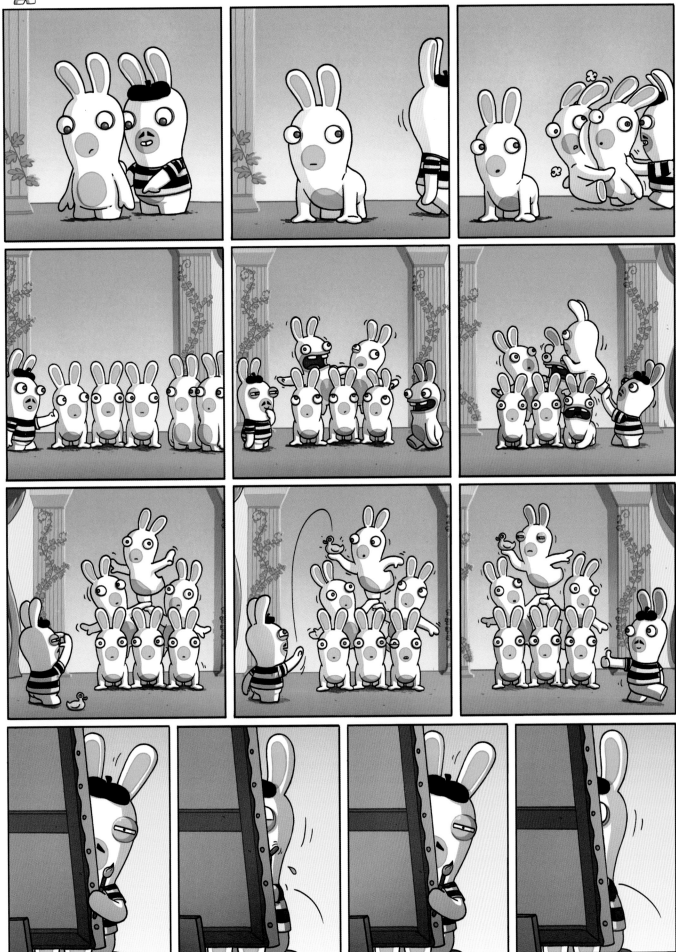

BWAAAH !

THITAUME -PUJOL-

BAOUM

THITAUME -PUJOL-

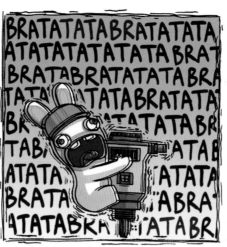

THITAUME -PUJOL-

# BRAVO !
## Vous y êtes presque !

Maintenant, allez page 4 et commencez la lecture !